Des Français célèbres

Brilliant French Information Books
Level 3

Danièle Bourdais and Sue Finnie

Brilliant
PUBLICATIONS

Qui est Marie Tussaud ? (1761–1850)

C'est une sculptrice sur cire.

Elle travaille pour le roi Louis XVI. Pendant la Révolution de 1789, elle va habiter en Angleterre. Elle ouvre un musée de cire à Londres, *Madame Tussauds*, en 1835.

Qui est Victor Hugo ? (1802–1870)

C'est un grand écrivain et homme politique.

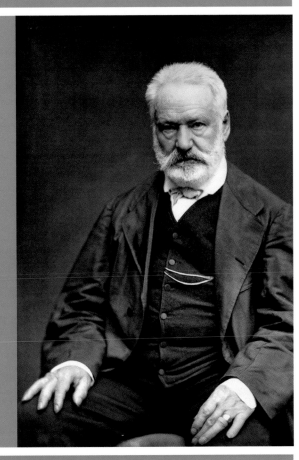

Il déteste les idées de l'empereur français Napoléon III.
Il part en exil sur l'île de Guernesey. Là, il écrit un livre
très célèbre : *Les Misérables*.

Qui est Louis Braille ? (1809–1852)

C'est l'inventeur de l'alphabet braille.

À 3 ans, il a un accident aux yeux et il est aveugle.
À 20 ans, il invente un système pour lire avec les doigts.
On utilise l'alphabet braille dans le monde entier.

Qui sont Auguste et Louis Lumière ? (1862–1954 et 1864–1948)

Ce sont deux frères: ils inventent le cinématographe.

En décembre 1895, ils ont une idée : ils organisent une projection de leurs films en public. Avec Auguste et Louis Lumière, le cinéma moderne est né !

Qui est Gustave Eiffel ? (1832–1923)

C'est un architecte et un ingénieur français.

Sa spécialité ? Les constructions métalliques. En 1889, il crée la Tour Eiffel. Elle devient le symbole de Paris. Gustave Eiffel fait aussi la structure de la Statue de la Liberté de New York.

Qui est Pierre de Coubertin ? (1863–1937)

C'est un historien et un grand sportif.

Il organise les premiers Jeux Olympiques modernes en 1896,
1500 ans après les Jeux Olympiques antiques de Grèce.
En 1913, de Coubertin choisit le symbole olympique : cinq
anneaux pour les cinq continents.

Qui est Marie Curie ? (1867–1934)

C'est une scientifique d'origine polonaise.

Elle a deux prix Nobel : le prix de physique en 1903 et le prix de chimie en 1911. Elle découvre la radioactivité. C'est une révolution pour la médecine (avec la radiographie et la radiothérapie contre le cancer).